Edition Schott

hek

Krzysztof Penderecki

* 1933

Cadenza

per viola sola

(1984)

VAB 52
ISMN 979-0-001-10245-2

www.schott-music.com

Mainz · London · Berlin · Madrid · New York · Paris · Prague · Tokyo · Toronto
© 1986 SCHOTT MUSIC GmbH & Co. KG, Mainz · Printed in Germany

Grigorij Zyslin gewidmet

Uraufführung: 10. September 1984 in Luslawice (Polen)
Solist: Grigorij Zyslin

Aufführungsdauer: ca. 8 Minuten

Cadenza per viola sola

Krzysztof Penderecki
(1984)

6